Le voyage du Prince Tudorpah

Le Royaume des Nuages Roses.

Ce pays fait tant rêver qu'on le décrit souvent comme une sorte de paradis terrestre. La beauté de ses paysages et la tranquillité qui y règne font des envieux dans le monde entier, partout on le cite en exemple. Mais une ombre inquiétante menace aujourd'hui le royaume.

Son souverain, le Prince Tudorpah, n'est plus lui-même, un mal étrange semble s'être abattu sur lui. Ce jeune homme réputé bon et juste ne trouve plus le sommeil et perd ses forces à vue d'oeil.

L'entourage princier s'inquiète de cette situation, qui s'aggrave chaque jour davantage. Non seulement le Prince n'arrive plus à s'occuper de la bonne marche du royaume, mais en plus il devient colérique.

Tous les médecins du pays se sont penchés au chevet du Prince, toutes sortes de remèdes ont été essayées. Sans résultat. Les plus fameux conteurs lui ont narré toutes les histoires possibles pour l'endormir, on lui a même récité pendant des heures les choses les plus ennuyeuses du monde.

Rien n'y a fait.

Les rumeurs les plus folles sur l'état du Prince courent déjà dans les rues de la capitale Panasia. A l'étranger, les gens commencent à dire que le Royaume des Nuages Roses est en train de devenir le Royaume des Nuages Noirs et que le Prince Tudorpah va plonger le pays dans une misère qui durera des siècles.

Ce soir là, comme tous les soirs au palais, le Prince a rendez-vous avec son ministre Temhestaah. L'heure est grave car rien n'est encore décidé pour la grande Fête du Soleil Levant.

~ Sire, voulez-vous que nous nous chargions des préparatifs pour la fête annuelle du royaume ?

~ Non !

~ Alors, voulez-vous vous en charger vous-même ?

~ Non !

~ Mais, mon Prince... devons-nous maintenir la fête ?

~ Non, non, non et non !

Je suis fatigué et je ne veux pas de fête. Cela va faire du bruit, tout le monde va rire, chanter, danser, s'amuser, s'embrasser et se coucher tard. Cela me fatigue d'avance.

~ Sire, vous devriez aller vous coucher.

~ Pour ne pas dormir comme tous les soirs. Merci Temhestaah, si tu continues à me donner des conseils idiots, je te fais manger par mes tigres.

~ Mon Prince, prenez le médicament que je vous ai préparé.

~ Non ! Temhestaah, tes médicaments sont comme tes conseils : inutiles !

~ Mon Prince nous avons tout essayé pour vous soigner.

~ Alors trouve-moi un autre médecin.

~ Personne ne veut plus prendre le risque de finir dans la gueule des tigres... Je vois bien quelqu'un qui pourrait nous aider, mais il ne peut pas se déplacer.

~ Qui est-ce ?

~ C'est Babu le sage. Il vit dans une hutte au milieu de la jungle.

Pendant deux longues minutes, le Prince ne dit rien. Le vieux sage Babu représente peut-être sa dernière chance.

~ Alors, mon Prince que décidez-vous ?

~ Et bien, soit, j'irai le voir et je ferai seul ce voyage, cela me reposera peut-être.

~ Seul ? Comme vous voulez, mon Prince. Et la fête ?

~ Je ne veux plus en entendre parler. Laisse-moi maintenant, Temhestaah.

En route vers le vieux sage, le Prince avance lentement. Il marche déjà depuis trois longues heures et commence à s'ennuyer. Il regrette de ne pas avoir emmené quelques gardes de son escorte. Sentant la fatigue dans ses jambes, il s'assoit sur une pierre pour boire. Tout à coup, son turban orné d'un joyau disparaît, puis c'est au tour de sa bourse.

~ Mais, qui me vole ?! Montre-toi si tu l'oses !

~ Hiihii, c'est moi ! crie un homme aussi agile qu'un singe. Je m'appelle Monkimane.

Essaye de m'attraper !

Le Prince, exténué par la marche et le manque de sommeil, n'est pas assez rapide pour attraper Monkimane, qui lui tourne autour. Après plusieurs minutes de course, le voleur grimpe dans un manguier d'où il se moque du Prince. Très énervé, Tudorpah finit par dire :

~ Dis-moi Monkimane, sais-tu qui je suis ?

~ Non.

~ Je suis le Prince Tudorpah. Je pourrais te faire attraper par mes soldats et jeter en prison.

~ Oui, mais je ne vois pas de soldats.

~ Mais tu vois le blason du royaume, brodé sur ma tunique.

Comprenant son erreur, Monkimane, penaud, rend le turban et la bourse au Prince.

~ Puisque tu m'as volé, tu me dois une faveur. Comme tu as l'air de bien connaître la jungle, pourrais-tu me conduire jusqu'à Babu le sage, j'ai besoin de lui parler.

~ Allons dans cette direction, quand nous verrons des lucioles, nous ne serons pas loin de sa hutte. Si ton cœur est pur, elles nous guideront jusqu'à lui.

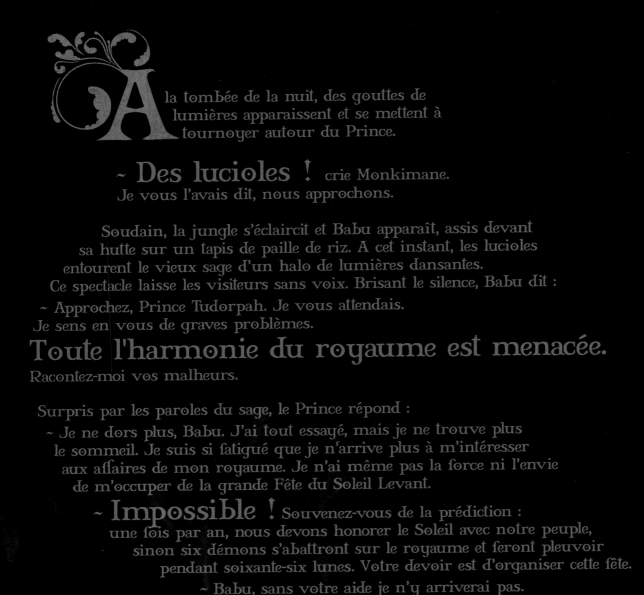

À la tombée de la nuit, des gouttes de lumières apparaissent et se mettent à tournoyer autour du Prince.

~ **Des lucioles !** crie Monkimane.
Je vous l'avais dit, nous approchons.

Soudain, la jungle s'éclaircit et Babu apparaît, assis devant sa hutte sur un tapis de paille de riz. A cet instant, les lucioles entourent le vieux sage d'un halo de lumières dansantes. Ce spectacle laisse les visiteurs sans voix. Brisant le silence, Babu dit :
~ Approchez, Prince Tudorpah. Je vous attendais.
Je sens en vous de graves problèmes.

Toute l'harmonie du royaume est menacée.

Racontez-moi vos malheurs.

Surpris par les paroles du sage, le Prince répond :
~ Je ne dors plus, Babu. J'ai tout essayé, mais je ne trouve plus le sommeil. Je suis si fatigué que je n'arrive plus à m'intéresser aux affaires de mon royaume. Je n'ai même pas la force ni l'envie de m'occuper de la grande Fête du Soleil Levant.

~ **Impossible !** Souvenez-vous de la prédiction :
une fois par an, nous devons honorer le Soleil avec notre peuple, sinon six démons s'abattront sur le royaume et feront pleuvoir pendant soixante-six lunes. Votre devoir est d'organiser cette fête.
~ Babu, sans votre aide je n'y arriverai pas.
~ Il nous faut trouver l'origine de votre mal.
Donnez-moi votre main,
mes lucioles magiques vont nous aider.

L

es lucioles reprennent leur danse folle autour du vieux sage, le dissimulant sous un épais cocon de lumière. Après un long silence, le visage de Babu réapparaît.

~ Ça y est je vois ! Quelqu'un vous a empoisonné ! C'est le Vizir Kouroustan.

~ Le Vizir Kouroustan ! Mais la dernière fois que je l'ai vu, c'était à un dîner dansant au palais.

~ Il a profité de la soirée pour vous faire boire une potion magique qui vous empêche de dormir.

~ Mais pourquoi ?

~ Il cherche à vous prendre le Royaume des Nuages Roses. En vous empêchant de dormir et d'organiser la Fête, il veut que la prédiction se réalise. Une fois la malédiction abattue sur nous, il nous envahira en se faisant passer pour notre sauveur. C'est un piège diabolique. Il vous faut un remède. Mais je ne connais pas cette magie. Vous devrez aller sur le chemin de la Grande Montagne, voir Somma, la guérisseuse.

~ Monkimane, sais-tu te rendre chez Somma ?

~ Non, Babu.

~ Cela ne fait rien. Mon disciple Tar va vous accompagner. C'est un grand gaillard qui connaît bien la route... Tar ! Viens nous rejoindre, s'il-te-plaît.

Un jeune homme grand et fort apparaît.

~ Tar, tu vas guider et aider le Prince Tudorpah dans sa quête. Monkimane ira avec vous. Vous allez prendre le chemin de la Grande Montagne et trouver Somma. C'est une mission de la plus haute importance pour le royaume. Mais, méfie-toi, je sens que la magie utilisée par Kouroustan est puissante. Très puissante. Elle pourrait vous atteindre sur la route.

Loin de la jungle du Royaume des Nuages Roses, dans son palais de pierre noire, le Vizir Kouroustan attend le retour de son corbeau rapporteur, chargé de surveiller le Prince Tudorpah.

~ Korbak ! Tu me dis que tu as vu le Prince quitter la hutte de ce vieux fou de Babu, accompagné de deux autres hommes. Bien, très bien. Je vais demander à mon magicien de leur préparer une surprise. En voyage, on peut rencontrer toutes sortes de mésaventures... Toi, retourne surveiller Tudorpah, tu me diras demain comment il va.

ar prépare les provisions - de l'eau, des fruits, du
riz - une tente pour le soir et des couvertures en laine,
qu'il pose sur sa carriole. Il attelle son buffle et attache
son sitar sur son dos. Enfin, l'attelage se met en route.

~ Tar, pourquoi t'encombres-tu de cet instrument de musique ?
Nous ne partons pas donner des concerts dans les villages.

~ Mon Prince, je ne peux laisser mon sitar et puisque
je le porte, il ne vous dérangera pas.

~ Soit. Si tu le dis.

Bien que de fort mauvaise humeur, car il n'a pas dormi depuis des jours, le Prince est charmé par le paysage de montagne. Il est cependant pressé de trouver la vieille guérisseuse et Tar n'avance pas assez vite à son goût.

~ Tar, ne pouvons-nous pas nous presser un peu, il me tarde de rencontrer Somma.

~ Mon Prince, la pente est rude et mon buffle, bien que robuste et vaillant, ne peut vous tirer plus vite sur une telle route. J'ai moi-même du mal à avancer et ferais bien une pause.

~ Puisqu'on en parle, je suis d'accord avec Tar. Ajoute Monkimane

~ Ah, non ! Le soleil n'est pas assez haut pour nous arrêter. Courage mes amis, n'oubliez pas votre mission.

N'osant contredire son Prince, Tar reprend le difficile et étroit chemin à flanc de montagne. Monkimane suit péniblement derrière en se gavant de toutes les baies qu'il trouve. Après de longues heures de marche, les trois hommes passent au bord d'une cascade entourée d'une jungle florissante. Tar décide alors de s'arrêter pour se reposer, se restaurer et faire boire son buffle.

~ Mais que fais-tu, Tar ? Je ne t'ai pas demandé de t'arrêter.

~ Je n'en peux plus, mon Prince, et la bête aussi doit se reposer, sinon nous n'arriverons jamais jusqu'à la maison de Somma. Nous allons nous rafraîchir près de cette cascade et attendre qu'il fasse moins chaud pour reprendre notre route.

~ Non ! La chaleur n'est rien pour un gaillard comme toi. Qu'en penses-tu Monkimane ?!

~ J'en pense que la chaleur n'est rien pour ceux qui restent assis.

Sans écouter les plaintes du Prince, Tar commence à préparer le déjeuner. Tudorpah, ne trouvant pas la nourriture assez raffinée pour lui, charge Monkimane de lui cueillir des fruits sauvages. Soudain, alors que Tar et Monkimane sont assoupis à l'ombre d'un grand arbre, des seulements inquiétants attirent l'attention du Prince.

Un tigre royal, énorme et menaçant émerge de derrière un buisson. Le Prince, pris de panique devant la bête féroce, dégaine son sabre et se réfugie derrière la carriole. D'un bond Monkimane le rejoint, abandonnant là son camarade de sieste. De son côté, Tar se lève avec calme, prend son sitar et vient s'accroupir au milieu des herbes, face au félin, qui avance l'œil noir, la gueule ouverte.

~ Tar, ne fais pas ça, tu es fou ! dit le Prince. Range cet instrument et écarte-toi, le tigre va te dévorer !

~ Pour une fois il a raison, fais ce qu'il dit. Ajoute Monkimane.

~ **Rangez plutôt votre sabre, mon Prince, et observez en silence.**

Tar entame une mélodie incroyablement douce, si douce qu'elle fait taire la jungle. Le Prince n'en croit pas ses yeux. D'abord le tigre tourne autour de Tar en grognant puis se calme au son du sitar pour venir se coucher devant le jeune homme. Finalement, la musique a raison du fauve qui s'endort profondément au milieu des herbes, tel un gros chat devenu inoffensif.

~ Prince, remontez dans la carriole, il nous faut partir avant que le tigre ne se réveille.

~ Mais comment as-tu pu vaincre cette bête féroce avec ta musique ? Cela est magie.

Sans répondre au Prince, Tar reprend le chemin vers la hutte de Somma. Il fait encore chaud, mais la musique lui a redonné la force de marcher. Monkimane tout tremblant, s'accroche à la carriole.

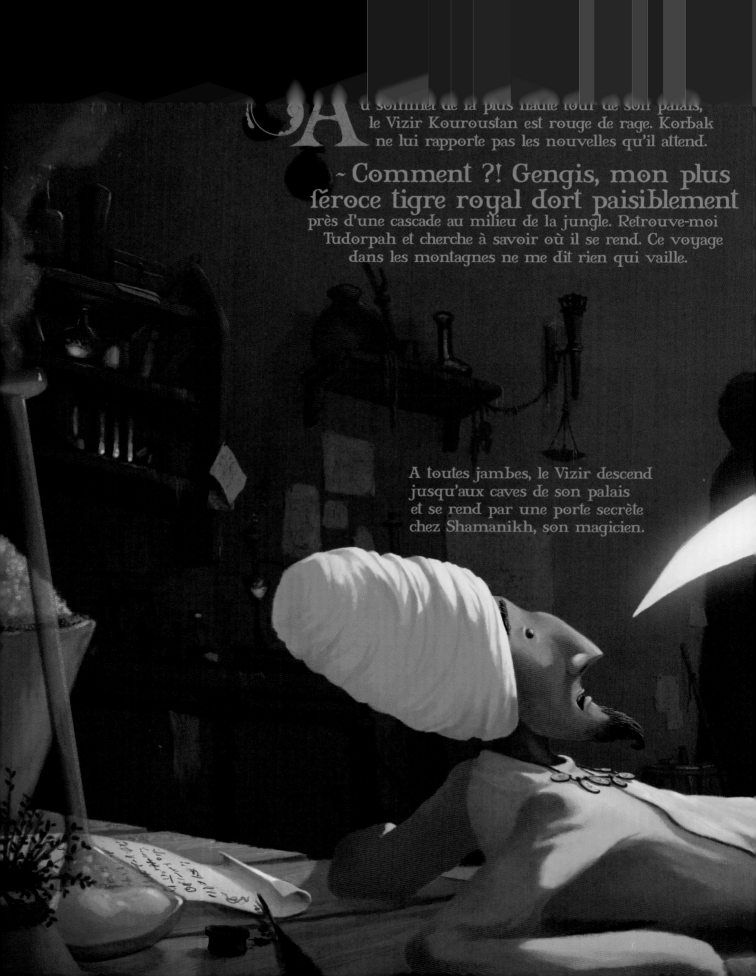

Au sommet de la plus haute tour de son palais, le Vizir Kouroustan est rouge de rage. Korbak ne lui rapporte pas les nouvelles qu'il attend.

~ Comment ?! Gengis, mon plus féroce tigre royal dort paisiblement près d'une cascade au milieu de la jungle. Retrouve-moi Tudorpah et cherche à savoir où il se rend. Ce voyage dans les montagnes ne me dit rien qui vaille.

A toutes jambes, le Vizir descend jusqu'aux caves de son palais et se rend par une porte secrète chez Shamanikh, son magicien.

~Shamanikh !

Tu es plus inutile qu'un djinn à la retraite.
Gengis a été vaincu. Je te conseille de trouver comment
atteindre le Prince Tudorpah, sinon tu retourneras dans la
jungle cueillir des larves de chenilles magiques dans les crottes
de pandas jusqu'à la fin de tes jours.

~ Je vais faire appel à la magie de mes ancêtres.

~ Si tu réussis, je te promets un sac de pierres précieuses.
Mais attention, si tu échoues tu seras récompensé par
mille coups de bâton, et ensuite, hop, dans la
jungle à fouiller les crottes de pandas !

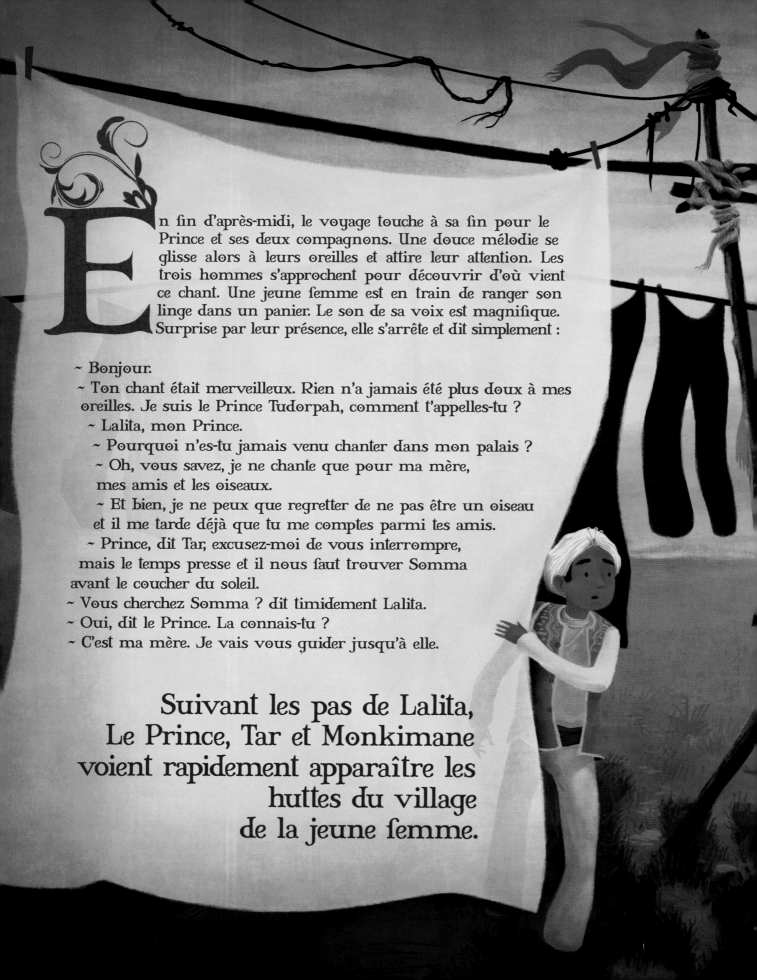

En fin d'après-midi, le voyage touche à sa fin pour le Prince et ses deux compagnons. Une douce mélodie se glisse alors à leurs oreilles et attire leur attention. Les trois hommes s'approchent pour découvrir d'où vient ce chant. Une jeune femme est en train de ranger son linge dans un panier. Le son de sa voix est magnifique. Surprise par leur présence, elle s'arrête et dit simplement :

~ Bonjour.
~ Ton chant était merveilleux. Rien n'a jamais été plus doux à mes oreilles. Je suis le Prince Tudorpah, comment t'appelles-tu ?
~ Lalita, mon Prince.
~ Pourquoi n'es-tu jamais venu chanter dans mon palais ?
~ Oh, vous savez, je ne chante que pour ma mère, mes amis et les oiseaux.
~ Et bien, je ne peux que regretter de ne pas être un oiseau et il me tarde déjà que tu me comptes parmi tes amis.
~ Prince, dit Tar, excusez-moi de vous interrompre, mais le temps presse et il nous faut trouver Somma avant le coucher du soleil.
~ Vous cherchez Somma ? dit timidement Lalita.
~ Oui, dit le Prince. La connais-tu ?
~ C'est ma mère. Je vais vous guider jusqu'à elle.

Suivant les pas de Lalita,
Le Prince, Tar et Monkimane
voient rapidement apparaître les
huttes du village
de la jeune femme.

Au village, Somma fait entrer Tudorpah et Tar dans sa grande hutte ronde et les invite à s'asseoir sur un tapis de soie. La pièce est sombre et décorée de grandes tentures brodées. Des centaines de flacons, de bocaux et de boîtes sont alignés sur de vieilles planches de bois, des talismans pendent un peu partout, accrochés aux poutres. Somma apporte et sert le thé sur un plateau de cuivre. Un subtil parfum d'épices et d'encens flotte dans l'air. La vieille guérisseuse observe d'un oeil mi-clos le Prince, qui s'agite. Elle dit :

~ Prince, voulez-vous encore du thé ?

~ Non merci.

~ Voulez-vous des gâteaux de riz à la cardamome ?

~ Non. Merci.

~ Voulez-vous un bol de lait chaud ?

~ Non !

~ Voulez-vous...

~ Écoutez, je ne suis pas venu pour prendre le thé !

~ Tu ne dors pas, n'est-ce pas ?

~ Non. Comment le savez-vous ?

~ Trop de fatigue et d'énervement dans ta voix. Celui qui t'a fait perdre le sommeil veut aussi te faire perdre ton royaume.

A ce moment, on entend des cris et des bruits dans le hameau. Monkimane entre dans la hutte, l'air affolé :

~ Vite ! Il faut partir. C'est incroyable ! Une ligne de feu descend de la montagne le long du sentier vers le village et une autre monte de la vallée. Je n'ai jamais vu cela. C'est comme deux serpents de flamme qui tentent de nous enlacer.

Le visage de Somma s'assombrit.

~ Prince Tudorpah, la magie qui te frappe est plus forte encore que je ne le pensais. Il nous faut nous protéger.

Le regard rempli de peur, le Prince se tourne vers Tar et l'implore :

~ Tar. Ne peux-tu arrêter le feu avec ton instrument ?

~ Non, mais je peux faire pleuvoir.

Tar se lève d'un bond et s'installe au milieu de la pièce. Il commence par jouer lentement des notes délicates, qui forment peu à peu une mélodie complexe et envoûtante. Monkimane décide alors de l'accompagner et s'empare des tabla de Lalita, avec lesquels il se met à rythmer la musique. Tous les habitants se sont regroupés près de la hutte de la guérisseuse et écoutent les deux musiciens jouer de plus en plus vite.

~ Le feu nous entoure !

crie un homme qui tente de calmer les buffles.

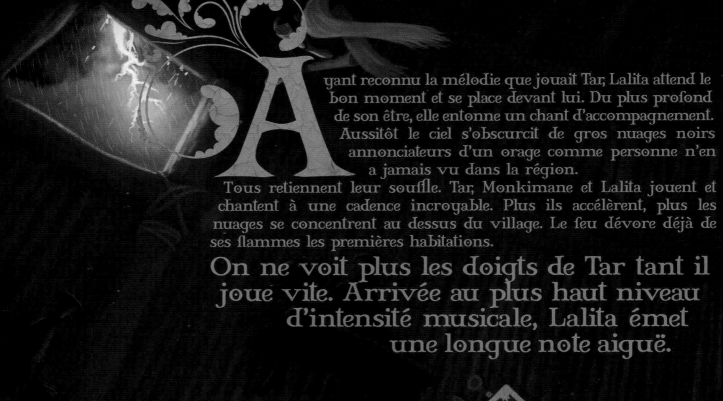

Ayant reconnu la mélodie que jouait Tar, Lalita attend le bon moment et se place devant lui. Du plus profond de son être, elle entonne un chant d'accompagnement. Aussitôt le ciel s'obscurcit de gros nuages noirs annonciateurs d'un orage comme personne n'en a jamais vu dans la région.

Tous retiennent leur souffle. Tar, Monkimane et Lalita jouent et chantent à une cadence incroyable. Plus ils accélèrent, plus les nuages se concentrent au dessus du village. Le feu dévore déjà de ses flammes les premières habitations.

On ne voit plus les doigts de Tar tant il joue vite. Arrivée au plus haut niveau d'intensité musicale, Lalita émet une longue note aiguë.

Soudain, un éclair déchire le ciel et les nuages répandent sur
le sol une pluie torrentielle dans un grondement de tonnerre.
Les habitants, trempés, se mettent à danser, à applaudir et à
crier de joie sous l'orage. Cette pluie est reçue comme un
cadeau de la nature venu les sauver de la malédiction
du feu destructeur. En moins de temps qu'il n'en faut
pour le dire, les deux serpents de feu sont noyés sous
ce déluge. Là où les flammes dansaient il y a une
minute, ce n'est plus que boue et flaques d'eau.

Tar reprend alors la douce mélodie du début
et Lalita se lève pour se blottir dans les bras
de sa mère. Monkimane repose les percussions
devant lui. La pluie devient toute fine, guidée
par la musique, qui se fait encore plus lente.
La dernière goutte glisse sur le toit de la hutte
au dernier accord du musicien. Tar vient de
vaincre le feu magique du Vizir Kouroustan
et de son sorcier. Épuisé, il pose son
instrument et demande à boire. Lalita
lui apporte de l'eau de source dans
un gobelet d'argent.

Ne voyant plus
le prince, Tar se
retourne et le
découvre étendu
sur un tapis.

Somma se lève et lui dit :
~ N'aie crainte Tar, notre
prince s'est endormi. Nous
allons le transporter sur
un lit. Il va dormir ainsi
trois jours et trois nuits.
Vous devrez, Lalita et
toi, vous relayer à son
chevet pour lui jouer
vos mélodies les
plus douces.

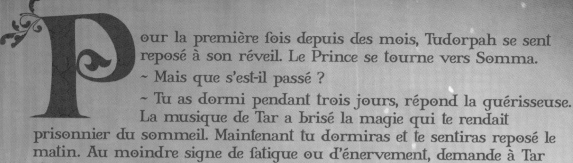

Pour la première fois depuis des mois, Tudorpah se sent reposé à son réveil. Le Prince se tourne vers Somma.

~ Mais que s'est-il passé ?

~ Tu as dormi pendant trois jours, répond la guérisseuse. La musique de Tar a brisé la magie qui te rendait prisonnier du sommeil. Maintenant tu dormiras et te sentiras reposé le matin. Au moindre signe de fatigue ou d'énervement, demande à Tar de te jouer quelque chose. Babu a transmis son savoir ancestral à ce garçon. Sa musique apaise les âmes troublées. Ton corps a évacué le poison et ton coeur a retrouvé la paix. Tu vas pouvoir retourner dans ton palais et organiser la grande Fête du Soleil Levant.

~ Merci Somma, vous m'avez sauvé la vie.
~ Remercie surtout Babu et Tar.

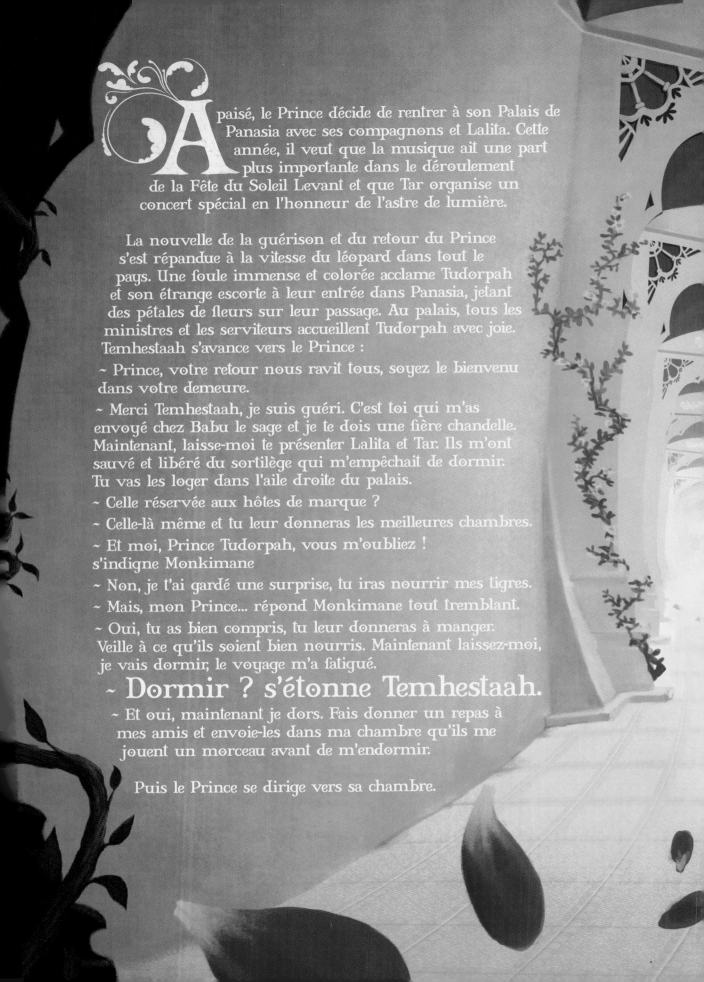

Apaisé, le Prince décide de rentrer à son Palais de Panasia avec ses compagnons et Lalita. Cette année, il veut que la musique ait une part plus importante dans le déroulement de la Fête du Soleil Levant et que Tar organise un concert spécial en l'honneur de l'astre de lumière.

La nouvelle de la guérison et du retour du Prince s'est répandue à la vitesse du léopard dans tout le pays. Une foule immense et colorée acclame Tudorpah et son étrange escorte à leur entrée dans Panasia, jetant des pétales de fleurs sur leur passage. Au palais, tous les ministres et les serviteurs accueillent Tudorpah avec joie. Temhestaah s'avance vers le Prince :

~ Prince, votre retour nous ravit tous, soyez le bienvenu dans votre demeure.

~ Merci Temhestaah, je suis guéri. C'est toi qui m'as envoyé chez Babu le sage et je te dois une fière chandelle. Maintenant, laisse-moi te présenter Lalita et Tar. Ils m'ont sauvé et libéré du sortilège qui m'empêchait de dormir. Tu vas les loger dans l'aile droite du palais.

~ Celle réservée aux hôtes de marque ?

~ Celle-là même et tu leur donneras les meilleures chambres.

~ Et moi, Prince Tudorpah, vous m'oubliez ! s'indigne Monkimane

~ Non, je t'ai gardé une surprise, tu iras nourrir mes tigres.

~ Mais, mon Prince... répond Monkimane tout tremblant.

~ Oui, tu as bien compris, tu leur donneras à manger. Veille à ce qu'ils soient bien nourris. Maintenant laissez-moi, je vais dormir, le voyage m'a fatigué.

~ Dormir ? s'étonne Temhestaah.

~ Et oui, maintenant je dors. Fais donner un repas à mes amis et envoie-les dans ma chambre qu'ils me jouent un morceau avant de m'endormir.

Puis le Prince se dirige vers sa chambre.

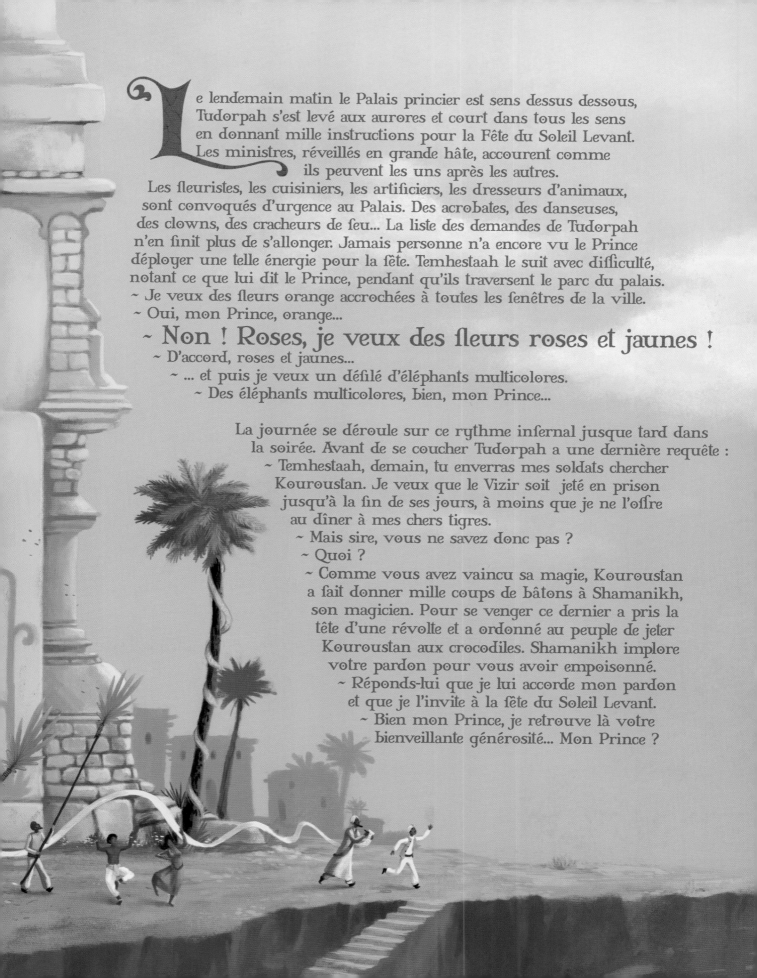

Le lendemain matin le Palais princier est sens dessus dessous, Tudorpah s'est levé aux aurores et court dans tous les sens en donnant mille instructions pour la Fête du Soleil Levant. Les ministres, réveillés en grande hâte, accourent comme ils peuvent les uns après les autres.

Les fleuristes, les cuisiniers, les artificiers, les dresseurs d'animaux, sont convoqués d'urgence au Palais. Des acrobates, des danseuses, des clowns, des cracheurs de feu... La liste des demandes de Tudorpah n'en finit plus de s'allonger. Jamais personne n'a encore vu le Prince déployer une telle énergie pour la fête. Temhestaah le suit avec difficulté, notant ce que lui dit le Prince, pendant qu'ils traversent le parc du palais.

~ Je veux des fleurs orange accrochées à toutes les fenêtres de la ville.

~ Oui, mon Prince, orange...

~ Non ! Roses, je veux des fleurs roses et jaunes !

~ D'accord, roses et jaunes...

~ ... et puis je veux un défilé d'éléphants multicolores.

~ Des éléphants multicolores, bien, mon Prince...

La journée se déroule sur ce rythme infernal jusque tard dans la soirée. Avant de se coucher Tudorpah a une dernière requête :

~ Temhestaah, demain, tu enverras mes soldats chercher Kouroustan. Je veux que le Vizir soit jeté en prison jusqu'à la fin de ses jours, à moins que je ne l'offre au dîner à mes chers tigres.

~ Mais sire, vous ne savez donc pas ?

~ Quoi ?

~ Comme vous avez vaincu sa magie, Kouroustan a fait donner mille coups de bâtons à Shamanikh, son magicien. Pour se venger ce dernier a pris la tête d'une révolte et a ordonné au peuple de jeter Kouroustan aux crocodiles. Shamanikh implore votre pardon pour vous avoir empoisonné.

~ Réponds-lui que je lui accorde mon pardon et que je l'invite à la fête du Soleil Levant.

~ Bien mon Prince, je retrouve là votre bienveillante générosité... Mon Prince ?

Temhestaah n'a pas le temps de noter
les instructions du Prince, Tudorpah
s'est endormi sur des coussins de soie.

Il dort profondément.

rêve

Tudorpah

Le jeune Prince du Royaume des Nuages Roses était réputé pour sa sagesse et sa gentillesse, jusqu'à ce qu'il ne perde une à une ses qualités à force de ne plus dormir.

Tar

Disciple de Babu, Tar est un joueur de sitar d'une grande qualité. D'ailleurs, il préfère la musique aux longs discours.

Monkimane

Il est un peu musicien, un peu guide et un peu contrebandier. Son activité principale : guider les riches marchands dans la jungle et la montagne et les délester de quelques biens pendant le voyage. S'il s'en donnait les moyens, il pourrait être totalement honnête.

Temhestaah

Principal ministre, dévoué corps et âme à son Prince et à son Royaume, cet homme sage et rangé est un conseiller précieux. Il manque peut être un peu d'humour.

Lalita

Douce et calme, la fille de Somma aime chanter. Elle n'a pas les pouvoirs de sa mère mais sa gentillesse et sa voix lui valent le respect de tous.

Babu

Cet authentique sage se révèle aussi magicien, maître de musique et philosophe. Son pouvoir divinatoire lui vient de ses lucioles magiques, qui ne le quittent jamais.

Somma

La vieille guérisseuse a toujours vécu dans la montagne, elle en connaît toutes les plantes. C'est une amie de Babu de longue date avec lequel elle partage bien des secrets.

ILLUSTRATIONS :
François-Marc Baillet

Korbak

Pauvre corbeau magique au service de l'infâme Kouroustan, il est un espion fidèle et efficace.

Shamanikh

Le magicien du Vizir aimerait bien s'affranchir de la tutelle de son maître. Il faut déjà qu'il rassemble ses forces.

Kouroustan

Ce voisin du Royaume des Nuages Roses est un être jaloux et méchant mais il cache bien son jeu. Rusé et dangereux, il a plus d'un tour dans son sac.

Conte écrit par Denis Teste et Gilles Leroux

Illustré par François-Marc Baillet

Edité par Eveil et Découvertes

Raconté par Arthur H.

Distribution :
Lalita : Florence Comment
Somma : Juliette Degenne
Babu ~ Tar : Gilles Morvan
Le Villageois : Jean-Paul Le Goff
Tudorpah ~ Shamanikh : Gilles Leroux
Temhestaah ~ Monkimane ~ Kouroustan : Denis Teste

Enregistrés au Studio Acousti par Maz

Musique composée par Jean-Paul Le Goff et Denis Teste.
Réalisation : Jean-Paul Le Goff.

Claviers, synthétiseurs, programmations orchestre,
arrangements et design sonore : Jean-Paul Le Goff
Sitar, Esraj, Sarod : Denis Teste
Flûte bansuri : Guillaume Barraud
Chant : Florence Comment
Pakhâwaj (percussion) : Pandit Mohan Shyam Sharma

Musique enregistrée et mixée à Legg studio par Jean Paul Le Goff
Mastering : Simon Derasse 51Monstudio

Maquetté par Jeanne-Marie Monpeurt

Arthur H
musicien chanteur
consacré au talent
et à la créativité
incontestables, cet
artiste facétieux
et original, à la
voix chaleureuse a
prêté son timbre
à la narration du
Voyage du Prince
Tudorpah.

Remerciements :
Arthur H, Richard Gamba, Maz et Valérie studio Acousti,
Hugues de France, Pandit Kushal Das et Saugata Roy Chowdhury,
Isabelle Schaff, Bakit & Hugues, Fred Perrot, Sonia Coutausse,
Delphine & Adeline, Eveil et Découvertes.

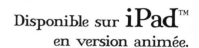

sur ce CD

Disponible sur **iPad**™
en version animée.

Retrouvez le Prince Tudorpah sur :
http://www.prince-tudorpah.com

Conforme à la loi n°49.956 du 16 juillet 1949 sur les publications destinées à la jeunesse.
© et ℗ 2010-2011 Éditions Éveil et Découvertes
ISBN : 978-2-35366-052-0 ~ Dépôt légal : quatrième trimestre 2010
Imprimé en Union européenne en partenariat avec www.alphabook.fr
www.eveiletdecouvertes.fr